O CORAÇÃO DISPARADO

O CORAÇÃO DISPARADO
Adélia Prado

EDITORA RECORD
RIO DE JANEIRO • SÃO PAULO

2021

CIP-BRASIL. CATALOGAÇÃO NA PUBLICAÇÃO
SINDICATO NACIONAL DOS EDITORES DE LIVROS, RJ

P915c
6. ed.

Prado, Adélia, 1935-
O coração disparado / Adélia Prado.
6. ed. – Rio de Janeiro: Record, 2021.

ISBN 978-65-5587-326-9

1. Poesia brasileira. I. Título.
21-71708   CDD: 869.1
              CDU: 82-1(81)

Camila Donis Hartmann – Bibliotecária – CRB-7/6472

Copyright © Adélia Prado, 1978

PROJETO GRÁFICO Luciana Facchini
ILUSTRAÇÃO Rafaela Pascotto

Todos os direitos reservados. Proibida a reprodução, armazenamento
ou transmissão de partes deste livro, através de quaisquer meios,
sem prévia autorização por escrito.

Texto revisado segundo o novo Acordo Ortográfico da Língua Portuguesa.

Direitos exclusivos desta edição reservados pela
EDITORA RECORD LTDA.
Rua Argentina, 171 – Rio de Janeiro, RJ
20921-380 – Tel.: (21) 2585-2000.

Impresso no Brasil

ISBN 978-65-5587-326-9

Seja um leitor preferencial Record.
Cadastre-se em www.record.com.br e receba informações
sobre nossos lançamentos e nossas promoções.

Atendimento e venda direta ao leitor:
sac@record.com.br

*Com efeito, eu mesma recebi
do Senhor o que vos transmito.*

TAL EM I CO 11,23

QUALQUER COISA É A CASA DA POESIA

LINHAGEM

Minha árvore ginecológica
me transmitiu fidalguias,
gestos marmorizáveis:
meu pai, no dia do seu próprio casamento,
largou minha mãe sozinha e foi pro baile.
Minha mãe tinha um vestido só, mas
que porte, que pernas, que meias de seda mereceu!
Meu avô paterno negociava com tomates verdes,
não deu certo. Derrubou mato pra fazer carvão,
até o fim de sua vida, os poros pretos de cinza:
'Não me enterrem na Jaguara. Na Jaguara, não.'
Meu avô materno teve um pequeno armazém,
uma pedra no rim,
sentiu cólica e frio em demasia,
no cofre de pau guardava queijo e moedas.
Jamais pensaram em escrever um livro.
Todos extremamente pecadores, arrependidos
até a pública confissão de seus pecados
que um deles pronunciou como se fosse todos:
'Todo homem erra. Não adianta dizer eu
porque eu. Todo homem erra.
Quem não errou vai errar.'
Esta sentença não lapidar, porque eivada

dos soluços próprios da hora em que foi chorada,
permaneceu inédita, até que eu,
cuja mãe e avós morreram cedo,
de parto, sem discursar,
a transmitisse a meus futuros,
enormemente admirada
de uma dor tão alta,
de uma dor tão funda,
de uma dor tão bela,
entre tomates verdes e carvão,
bolor de queijo e cólica.

O GUARDA-CHUVA PRETO

Esquecido na mesa,
com o cabo voltado para cima
e as bordas arrepanhadas,
é como seu dono vestido,
composto no seu caixão.
Não desdobra a dobradiça,
não pousa no braço grave
do que, sendo seu patrão,
foi pra debaixo da terra.
Ele vai para o porão.
Existe um retrato antigo
em que posou aberto,
com o senhor moço e sem óculos.
Guarda-chuva, guarda-sol,
guarda-memória pungente
de tudo que foi em nós
um pouco ridículo e inocente. Guarda-vida,
arquivo preto,
cão de luto, cão jazente.

FLORES

A boa-noite floriu suas flores grandes,
parecendo saia branca.
Se eu tocasse um piano elas dançavam.
Fica tão bom o mundo assim com elas,
que nem me desprezo por querer um marido.
Perfumam à noite.
A gaita de um menino que nunca morreu
toca erradinho e doce.
Eu cumpro alegremente minhas obrigações
                              [paroquiais
e não canso de esperar;
mais hoje, mais amanhã, qualquer coisa
                        [esplêndida acontece:
as cinco chagas, o disco voador, o poeta com seu
                                 [cavalo
relinchando na minha porta.
Desejava tanto tomar bênção de pai e mãe,
juntar uns pios, umas nesgas de tarde,
um balançado de tudo que balança no vento
e tocar na flauta. É tão bom
que nem ligo que Deus não me conceda
ser bonita e jovem

– um dos desejos mais fundos da minha alma.
"O Espírito de Deus pairava sobre as águas..."
 Sobre o meu, pairam estas flores
 e sou mais forte que o tempo.

A CASA

É um chalé com alpendre,
forrado de hera.
Na sala,
tem uma gravura de Natal com neve.
Não tem lugar pra esta casa em ruas que se
[conhecem.
Mas afirmo que tem janelas,
claridade de lâmpada atravessando o vidro,
um noivo que ronda a casa
— esta que parece sombria —
e uma noiva lá dentro que sou eu.
É uma casa de esquina, indestrutível.
Moro nela quando lembro,
quando quero acendo o fogo,
as torneiras jorram,
eu fico esperando o noivo, na minha casa
[aquecida.
Não fica em bairro esta casa
infensa à demolição.
Fica num modo tristonho de certos entardeceres,
quando o que um corpo deseja é outro corpo
[pra escavar.
Uma ideia de exílio e túnel.

PRIMEIRA INFÂNCIA

Era rosa, era malva, era leite,
as amigas de minha mãe vaticinando:
vai ser muito feliz, vai ser famosa.
Eram rendas, pano branco, estrela dalva,
benza-te a cruz, no ouvido, na testa.
Sobre tua boca e teus olhos
o nome da Trindade te proteja.
Em ponto de marca no vestidinho: navios.
Todos a vela. A viagem que eu faria
em roda de mim.

DOIS VOCATIVOS

A maravilha dá de três cores:
branca, lilás e amarela,
seu outro nome é bonina.
Eu sou de três jeitos:
alegre, triste e mofina,
meu outro nome eu não sei.
Ó mistério profundo!
Ó amor!

SUBJETO

O cheiro da flor de abóbora, a massa de seu pólen,
para mim, como óvulo de coelhas.
— Vinde, zangões, machos tolos,
picar a fina parede que mal segura a vida,
tanto ela quer viver.
Ainda que não vos houvesse
eu fecundaria essas flores com meu nariz
[proletário.
— Ora, direis, um lírio ignóbil.
Pois vos digo que a reproduzo em ouro
sobre meu vestido de núpcias, meu vestido de noite.
Dentro do quarto escuro
ou na rua sem lâmpadas, de cidade ou memória,
um sol.
Como pequenas luzes esplêndidas.

SOLAR

Minha mãe cozinhava exatamente:
arroz, feijão-roxinho, molho de batatinhas.
Mas cantava.

ESPERANDO SARINHA

Sarah é uma linda menina ainda mal-acordada.
Suas pétalas mais sedosas estão ainda fechadas,
dormindo de bom dormir.
Quando Sarinha acordar,
vai pedir leite na xícara de porcelana pintada,
vai querer mel aos golinhos em colherinha de prata,
duas horas vai gastar fazendo trança e castelos.
Estou fazendo um vestido,
uma tarde linda e um chapéu,
pra passear com Sarinha,
quando Sarinha acordar.

VITRAL

Uma igreja voltada para o norte.
À sua esquerda um barranco, a estrada de ferro.
O sol, a mais de meio caminho para oeste.
Tem uns meninos na sombra.
Eu estou lá com o pé apoiado sobre o dedo grande,
a mão que passei no cabelo,
a um quarto de seu caminho até a coxa,
onde vai bater e voltar, envergonhado passo de balé.
Tudo pulsando à revelia de mim,
bom como um ingurgitamento não provocado
                                 [do sexo.
A pura existência.

ROÇA

No mesmo prato
o menino, o cachorro e o gato.
Come a infância do mundo.

TEMPO

A mim que desde a infância venho vindo
como se o meu destino
fosse o exato destino de uma estrela
apelam incríveis coisas:
pintar as unhas, descobrir a nuca,
piscar os olhos, beber.
Tomo o nome de Deus num vão.
Descobri que a seu tempo
vão me chorar e esquecer.
Vinte anos mais vinte é o que tenho,
mulher ocidental que se fosse homem
amaria chamar-se Eliud Jonathan.
Neste exato momento do dia vinte de julho
de mil novecentos e setenta e seis,
o céu é bruma, está frio, estou feia,
acabo de receber um beijo pelo correio.
Quarenta anos: não quero faca nem queijo.
Quero a fome.

GRAFITO

Era uma vez um homem sem estudo
que amava discursos.
Tinha o punho firme para murro e ferros,
mas apertava os olhos quando as belas frases,
sua boca se abria um pouco pra escutar:
"...a pátria espera de cada brasileiro
o sacrifício até de suas vidas..."
Isto desengraxava sua alma,
sua unha preta de carvão e poeira.
"...basta, Abraão, olha entre a sarça
o animal para o sacrifício,
poupa teu filho Isaac..."
Sacerdotal como era,
professoral como admirava ser,
exercia a palavra para proveito
de quantos dela vissem e ouvissem.
Com arame, cuja ponta afilou com martelo,
gravou no cimento fresco à porta da cozinha:
FOI NUMA TERÇA-FEIRA DE 24.8.54, QUE,
O SR. GETÚLIO DORNELES VARGAS
RESOLVEU DAR FIM NA SUA VIDA, PRESSISA-MENTE
AS 8 I MEIA HORAS DA MANHÃ.
DEUS CONDUZ SUA ALMA PARA O CÉU...

NEM UM VERSO EM DEZEMBRO

Não quero nunca desejar a morte,
a não ser por santidade, como a chamou
[Francisco: irmã.
É quase 25 e nem um verso.
Movo as pernas sem conter meus quadris,
como deveria ter feito a vida toda,
pra conquistar o mundo.
Borboletinhas pardas, ciscos, seixos, gravetos,
água de sabão escapando do muro, duram ofertados
enquanto percorro o bairro,
a menina me olha do alpendre ladrilhado
e nem um verso.
Eu primo na minha obra porque é tudo que tenho.
Na casa de três cômodos, de terreirinho escorrido,
a vida é ruim, a alma fica gemendo: ô vida.
Desguio dali uma ideia de suicídio
que paira sobre o telhado junto com a antena
[do rádio,
mas a ideia volta, e nem um verso.
Preciso me confessar ao homem de Deus:
cometi gula, ansiei pelo detalhe das fraquezas
[alheias
e mesmo tendo marido explorei meu corpo.

Nem um verso em dezembro, eu que para isso
[nasci e vim ao mundo.
Minha alma quer copular.
Os magos passam de jato, a estrela se esconde,
chove torrencialmente no Brasil.

DISCURSO

Não tinha um adjetivo para o dia e desejei ficar triste.
Fui moer lembranças,
remoê-las com a areia pobre mas grossa
de minha desmesurada moela.
Em mim, tanto faz meu coração ou estômago,
já que nem pra rezar eu sei partir-me.
Como quem junta espigas pro moinho,
juntei uns cheiros de alho, de álcool, de sabonete,
um cheiro-malva de talco, uns gritos,
fezes que se pisou ao redor da casa
com cheiro não tanto repudiável
— podia-se limpá-las, mas não eram execráveis —,
a incúria colateral de vários pâncreas,
o *Trypanosoma cruzi*, várias cruzes no sangue,
[no exame,

nas covas, nas torres, no cordãozinho de ouro,
na forma de levantar os braços e dizer:
"Ó Pai, duro é este discurso, quem poderá entendê-lo?"
Se abrisse um sol sobre este dia incômodo,
eu rapava com enxada os excrementos,
punha fogo no lixo
e demarcava mais fácil os contornos da vida:
aqui é dor, aqui é amor, aqui é amor e dor,

onde um homem projeta o seu perfil e pergunta
[atônito:
em que direção se vai?
É às vezes fazendo a barba
ou insistindo no vinco de sua calça branca
que ele quer saber.
É às vezes aparando as unhas,
em nem sempre escolhidas horas,
que ele tem a resposta.
Um adjetivo para o dia, explica.

RUIM

Me apanho composta:
as vísceras, o espírito,
meu ânima em dispneia.
Nem uma seta consigo pintar na estrada.
Ô tristeza, eu digo olhando meu livro.
Ô bobagem.
Ô merda,
polivalentemente, eu digo.
De que me adiantou pegar na mão do poeta
e mandar pra frente da batalha feminista
a mulher do meu amado,
se o que me sobra é um nó,
uma ruga nova,
a lembrança da gafe abominável?
Tudo para encruado.
Nem ao menos o rabo da poesia,
o fedor de vida
que às vezes deixa no ar
seu intestino grosso.
Ô Deus, eu digo enraivada,
esmurrando o ar com meu murrinho de fêmea.
Ó. Ai. Ai ai ai...
Se chovesse ou eu ficasse grávida,

quem sabe?
Na saída da cidade desconhecida
duas placas altas apontavam:
IBES.................ARIBIRI
Um preto no cruzamento
olhava atentamente para o fim dos tempos.
Eu olho meu olho fixo.
Como se não houvesse cantochão nem monges.

UM SILÊNCIO

Ela descalçou os chinelos
e os arrumou juntinhos
antes de pôr a cabeça nos trilhos
em cima do pontilhão,
debaixo do qual passava um veio d'água
que as lavadeiras amavam.
O barulho do baque com o barulho do trem.
Foi só quando a água principiou a tingir
a roupa branca que dona Dica enxaguava
que ela deu o alarme
da coisa horrível caída perto de si.
Eu cheguei mais tarde e assim vi para sempre:
a cabeleira preta,
um rosto delicado,
do pescoço a água nascendo ainda alaranjada,
os olhos belamente fechados.
O cantor das multidões cantava no rádio:
"Aço frio de um punhal foi teu adeus pra mim."

BULHA

Às vezes levanto de madrugada, com sede,
flocos de sonho pegados na minha roupa,
vou olhar os meninos nas suas camas.
O que nessas horas mais sei é: morre-se.
Incomoda-me não ter inventado este dizer
                              [lindíssimo:
'Ao amiudar dos galos.' Os meninos ressonam.
Com nitidez perfeita, os fragmentos:
as mãos do morto cruzadas, a pequena ferida
                                   [no dorso.
A menina que durante o dia desejou um vestido
está dormindo esquecida e isto é triste demais,
porque ela falou comigo: 'Acho que fica melhor
                             [com babado'
e riu meio sorriso, embaraçada por tamanha alegria.
Como é possível que a nós, mortais, se aumente o
                           [brilho nos olhos
porque o vestido é azul e tem um laço?
Eu bebo a água e é uma água amarga
e acho o sexo frágil, mesmo o sexo do homem.

TULHA

Ontem de noite a tentação me tentou,
no centro da casa escura, no meio da noite escura.
A noite dura seu tempo, mas a barra do dia barra,
espanca a soberba das trevas.
O que trêmulo e choroso vagou nos cômodos quietos
encontra os pardais palrando,
mulheres com suas trouxas reverberando no sol.
Declaro que a vida é ótima, a realidade múltipla, os
                              [nossos sentidos fracos.
Mais belo que o épico é o homem pacientemente
esperando a hora em que Deus for servido.
Enquanto isso, as andorinhas pousam nos fios,
                              [as gotas de chuva caem,
Marly Guimarães, esposa de Mário Guimarães,
completa mais um aniversário e na oportunidade
recebe os cumprimentos dos parentes.
Vale a pena esperar, contra toda a esperança,
o cumprimento da Promessa que Deus fez a nossos
                              [pais no deserto.
Até lá, o sol-com-chuva, o arco-íris, o esforço de amor,
o maná em pequeninas rodelas, tornam boa a vida.
A vida rui? A vida rola mas não cai. A vida é boa.

EH!

Têm cheiro especial
as bolas de carne cozinhando.
O cachorro olha pra gente
com um olho piedoso,
mas eu não dou.
Comida de cachorro é muxiba,
resto de prato.
Se lembro disto de noite
e estou sozinha no quarto
acho muito engraçado
e rio com estardalhaço:
a vida é mesmo uma pândega!
Dona Ló costurou pra dona Corina
que até hoje não pagou.
E bem que pode, já que exibe no lixo
papel higiênico Sublime,
que é do melhor e mais caro.
Mas os meninos se vingam:
có có có có có corina
có có có có có corina
sua roupa de baixo
tem catinga de urina.
O sol se põe intocado

atrás do morro onde ninguém nunca foi.
É brasa sua viva cor. Tem roxos,
uma angústia pendente
que sorvo em goles de antecipada saudade.
Quando a noite fechar,
dona Corina vai dormir com seu Lula,
homem sem fantasia,
que só faz as coisas de um jeito.
Dona Ló é viúva e dorme com Santa Bárbara,
"fulgente margarita que com melodia agradável
segues ao Esposo Cordeiro".
Se não estou compassiva, boto as mãos nas

[cadeiras

e grito para o Radar: É DEVERA!
Ele bota o rabo entre as pernas
e vai dormir na coberta.
Ai, Deus, minha virgindade se consome
entre precisar de feijão,
pó de café e açúcar.
Tem piedade de mim.

HORA DO ÂNGELUS

A poesia é pura compaixão.
Até grávida posso ficar,
se lhe aprouver um filho apelidado Francisco.
Tem mesmo alguma coisa no mundo
que obriga o mundo a esperar.
O carroceiro pragueja: ô deus,
a minha lida é mais dura
que a lida de um retireiro.
Sem paciência, a beleza turva-se,
esta que sobre as tardes se inclina
e faz defensáveis
areias, ervas, insetos,
este homem que jamais disse a palavra crepúsculo.

REGIONAL

O sino da minha terra
ainda bate às primeiras sextas-feiras,
por devoção ao coração de Jesus.
Em que outro lugar do mundo isto acontece?
Em que outro brasil se escrevem cartas assim:
o santo padre Pio XII deixou pra morrer logo hoje,
último dia das apurações.
Guardamos os foguetes.
Em respeito de sua santidade não soltamos.
Nós vamos indo do mesmo jeito,
não remamos, nem descemos da canoa.
Esta semana foi a festa de São Francisco,
fiz este canto imitado:
louvado sejas, meu Senhor,
pela flor da maria-preta,
por cujo odor e doçura
as formigas e abelhas endoidecem,
cuja forma humílima me atrai,
me instiga o pensamento
de que não preciso ser jovem nem bonita
para atrair os homens e o que neles
ferroa como nos zangões.

Meu estômago enjoa.
Há circunvoluções intestinas no país.
Queria que tudo estivesse bem.
Queria ficar noiva hoje
e ir sozinha com meu noivo
assistir a *Os cangaceiros* no cinema.
Queria que nossa fé fosse como está escrito:
AQUELE QUE CRÊ VIVERÁ PARA SEMPRE.
Isto é tão espantoso
que me retiro para meditar.
Espero que ao leres esta
estejas gozando saúde,
felicidade e paz junto aos teus.

FOLHINHA

A morte do escritor
não se quer resolver dentro de mim.
Mas não tenho gosto na infelicidade
e por isso busco meu caminho
como um verme sabe do seu, dentro da terra.
Muitas coisas me valem quando Deus fica estranho
e do que é mínimo, às vezes,
vem o desejado consolo.
Informativo Popular Coração de Jesus
é o nome de um calendário de parede.
ABENÇOAI ESTE LAR está escrito nele.
O coração sangra na estampa,
mas o rosto é doce, próprio a enternecer
as mulheres da cozinha, feito eu.
Toquem mal o piano, vou me deliciar
— nada é mesmo perfeito —,
uma gota de mel desce em minha garganta.
No dia 8 de janeiro está escrito na folhinha:
A FÉ GUIOU OS MAGOS – LUA NOVA AMANHÃ.
Lua nova,
que nome mais bonito pra um consolo.

A PROFETISA ANA NO TEMPLO

As fainas da viuvez trabalham uma horta nova.
Quem me condenará por minhas vestes claras?
O recém-nascido vai precisar de faixas.
É um tal amor o que prepara os unguentos
que obriga a divindade a conceder-se.
Até que esmaeçam,
velo as coruscantes estrelas.

CAMPO-SANTO

Na minha terra
a morte é minha comadre.
Subo a rua Goiás, atrás de coisas miúdas,
um chinelo, uma travessa, uma bilha nova,
e, à medida que subo, mais chego perto do campo
onde dormem sem sobressaltos
o pai, a mãe, a irmã, a menina que no segundo ano
se chamava Teresinha.
A grande tarefa é morrer.
Até lá rondo os muros
e em qualquer parte da cidade oriento-me
pela mão estendida do Cristo de mármore preto
do túmulo do coronel.
No cemitério é bom de passear.
A vida perde a estridência,
o mau gosto ampara-nos das dilacerações.
A gradinha de ferro defende o exíguo espaço,
onde mais exíguos os ossos se confinam,
ossos que andaram, apontaram e voltaram a cabeça
e sustentaram a língua e os olhos e fizeram o
                                    [arcabouço
para a voz sob o sol: 'santo remédio, erva-de-bicho,
dá na beira do rio'. O mistério não me fulmina

porque a inscrição tem erros e no túmulo de
                              [Maria Antônia
— que morreu por mão do marido —
os pedidos maiores são de emprego.
Enegrecidas de chuva e velas,
adornadas de flores sobre as quais
sem preconceito as abelhas porfiam,
a vida e a morte são uma coisa só.
Se um galo cantar e for domingo,
será tanta a doçura que direi:
vem cá, meu bem, me dá sua mão,
vamos dar um passeio,
vamos passar na casa de tia Zica
pra ver se Tiantônio melhorou.
Ressurgiremos. Por isso
o campo-santo é estrelado de cruzes.

O CORAÇÃO DISPARADO E A LÍNGUA SECA

MOÇA NA SUA CAMA

Papai tosse, dando aviso de si,
vem examinar as tramelas, uma a uma.
A cumeeira da casa é de peroba-do-campo,
posso dormir sossegada. Mamãe vem me cobrir,
tomo a bênção e fujo atrás dos homens,
me contendo por usura, fazendo render o bom.
Se me tocar, desencadeio as chusmas,
os peixezinhos cardumes.
Os topázios me ardem onde mamãe sabe,
por isso ela me diz com ciúmes:
dorme logo, que é tarde.
Sim, mamãe, já vou:
passear na praça sem ninguém me ralhar.
Adeus, que me cuido, vou campear nos becos,
moa de moços no bar, violão e olhos
difíceis de sair de mim.
Quando esta nossa cidade ressonar em neblina,
os moços marianos vão me esperar na matriz.
O céu é aqui, mamãe.
Que bom não ser livro inspirado
o catecismo da doutrina cristã,
posso adiar meus escrúpulos
e cavalgar no torpor

dos monsenhores podados.
Posso sofrer amanhã
a linda nódoa de vinho
das flores murchas no chão.
As fábricas têm os seus pátios,
os muros têm seu atrás.
No quartel são gentis comigo.
Não quero chá, minha mãe,
quero a mão do frei Crisóstomo
me ungindo com óleo santo.
Da vida quero a paixão.
E quero escravos, sou lassa.
Com amor de zanga e momo
quero minha cama de catre,
o santo anjo do Senhor,
meu zeloso guardador.
Mas descansa, que ele é eunuco, mamãe.

DIA

As galinhas com susto abrem o bico
e param daquele jeito imóvel
– ia dizer imoral –,
as barbelas e as cristas envermelhadas,
só as artérias palpitando no pescoço.
Uma mulher espantada com sexo:
mas gostando muito.

BAIRRO

O rapaz acabou de almoçar
e palita os dentes na coberta.
O passarinho recisca e joga no cabelo do moço
excremento e casca de alpiste.
Eu acho feio palitar os dentes,
o rapaz só tem escola primária
e fala errado que arranha.
mas tem um quadril de homem tão sedutor
que eu fico amando ele perdidamente.
Rapaz desses
gosta muito de comer ligeiro:
bife com arroz, rodela de tomate
e ir no cinema
com aquela cara de invencível fraqueza
para os pecados capitais.
Me põe tão íntima, simples,
tão à flor da pele o amor,
o samba-canção,
o fato de que vamos morrer
e como é bom a geladeira,

o crucifixo que mamãe lhe deu,
o cordão de ouro sobre o frágil peito
que.
Ele esgravata os dentes com o palito,
esgravata é meu coração de cadela.

CANÍCULA

Ao meio-dia, deságua o amor,
os sonhos mais frescos e intrigantes;
estou onde estão as torrentes.
Ao redor da casa grande espaça um quintal sem cercas,
tomado de bananeiras, só bananeiras,
altas como coqueiros.
Chego e é na beira do mar encrespado de correntezas,
sorvedouros azuis.
há um perigo sobre faixa exígua
que é de areia e é branca.
Quero braceletes
e a companhia do macho que escolhi.

GÊNERO

Desde um tempo antigo até hoje,
quando um homem segura minha mão,
saltam duas lembranças guarnecendo
a secreta alegria do meu sangue:
a bacia da mulher é mais larga que a do homem,
em função da maternidade.
O Osvaldo Bonitão está pulando o muro de
[dona Gleides.
A primeira, eu tirei de um livro de anatomia,
a segunda, de um cochicho de Maria Vilma.
Oh! por tão pouco incendiava-me?
Eu sou feita de palha,
mulher que os gregos desprezariam?
Eu sou de barro e oca.
Eu sou barroca.

CORRIDINHO

O amor quer abraçar e não pode.
A multidão em volta,
com seus olhos cediços,
põe caco de vidro no muro
para o amor desistir.
O amor usa o correio,
o correio trapaceia,
a carta não chega,
o amor fica sem saber se é ou não é.
O amor pega o cavalo,
desembarca do trem,
chega na porta cansado
de tanto caminhar a pé.
Fala a palavra açucena,
pede água, bebe café,
dorme na sua presença,
chupa bala de hortelã.
Tudo manha, truque, engenho:
é descuidar, o amor te pega,
te come, te molha todo.
Mas água o amor não é.

A MAÇÃ NO ESCURO

Era um cômodo grande, talvez um armazém antigo,
empilhado até o meio de seu comprimento e altura
com sacas de cereais.
Eu estava lá dentro, era escuro,
estando as portas fechadas
como uma ilha de sombra em meio do dia aberto.
De uma telha quebrada, ou de exígua janela,
vinha a notícia da luz.
Eu balançava as pernas,
em cima da pilha sentada,
vivendo um cheiro como um rato o vive
no momento em que estaca.
O grão dentro das sacas,
as sacas dentro do cômodo,
o cômodo dentro do dia
dentro de mim sobre as pilhas
dentro da boca fechando-se de fera felicidade.
Meu sexo, de modo doce,
turgindo-se em sapiência,
pleno de si, mas com fome,
em forte poder contendo-se,
iluminando sem chama a minha bacia andrógina.
Eu era muito pequena,

uma menina-crisálida.
Até hoje sei quem me pensa
com pensamento de homem:
a parte que em mim não pensa e vai da cintura

[aos pés

reage em vagas excêntricas,
vagas de doce quentura
de um vulcão que fosse ameno,
me põe inocente e ofertada,
madura pra olfato e dentes,
em carne de amor, a fruta.

ESTA SEDE
EXCESSIVA

DESENREDO

Grande admiração me causam os navios
e a letra de certas pessoas que esforço por imitar.
Dos meus, só eu conheço o mar.
Conto e reconto, eles dizem 'ahn'.
E continuam cercando o galinheiro de tela.
Falo da espuma, do tamanho cansativo das águas,
eles nem lembram que tem o Quênia,
nem de leve adivinham que estou pensando
[em Tanzânia.
Afainosos me mostram o lote: aqui vai ser a cozinha,
logo ali a horta de couve.
Não sei o que fazer com o litoral.
Fazia tarde bonita quando me inseri na janela,
[entre meus tios,
e vi o homem com a braguilha aberta,
o pé de rosa-doida enjerizado de rosas.
Horas e horas conversamos inconscientemente
[em português
como se fora esta a única língua do mundo.
Antes e depois da fé eu pergunto cadê os meus
[que se foram,
porque sou humana, com capricho tampo o
[restinho de molho na panela.

Saberemos viver uma vida melhor que esta,
quando mesmo chorando é tão bom estarmos
[juntos?
Sofrer não é em língua nenhuma.
Sofri e sofro em Minas Gerais e na beira do oceano.
Estarreço de estar viva. Ó luar do sertão,
ó matas que não preciso ver pra me perder,
ó cidades grandes, estados do Brasil que amo
[como se os tivesse inventado.
Ser brasileiro me determina de modo emocionante
e isto, que posso chamar de destino, sem pecar,
descansa meu bem-querer.
Tudo junto é inteligível demais e eu não suporto.
Valha-me noite que me cobre de sono.
O pensamento da morte não se acostuma comigo.
Estremecerei de susto até dormir.
E no entanto é tudo tão pequeno.
Para o desejo do meu coração
o mar é uma gota.

AUSÊNCIA DA POESIA

Aquele que me fez me tirou da abastança,
há quarenta dias me oprime no deserto.
O político morreu, coitado.
Quis ser presidente e não foi.
Meu pai queria comer.
Minha mãe, peregrinar.
Eu quero a revolução mas antes quero um ritmo.
Ó Deus, meu filho me pede a bênção, eu dou.
Eu que sou mau.
Por que, para mim, nem mel de vespas?
Eu que disse na praça, expondo-me
— dançai maltrapilhos, vamos seguir o tambor,
o Reino é subjacente mas existe —,
não sei responder a este motivo:
'as torres ficam mais eternas às duas horas da tarde'.
Vejo a mangueira contra a nuvem preta,
meu coração se aquece,
mais uma vez me iludo de que farei o poema.
Tudo que aprendeu no bandalho
a marafona convertida faz para o êxtase místico;
mesmo que a costureira chegue na porta da rua
chupando o pilão com a língua,
eu acho bonito.

Me tentam a beleza física, forma concreta de lábios,
sexo, telefone, cartas,
o desenho amargo da boca do *Ecce Homo*.
Ó Deus de Bilac, Abraão e Jacó,
esta hora cruel não passa?
Me tira desta areia, ó Espírito,
redime estas palavras do seu pó.
No país tropical grassa duro inverno.
Estou com meias, paletó e ânsias.

CONTRA O MURO

Pulou no rio a menina
cuja mãe não disse: minha filha.
Me consola, moço.
Fala uma frase, feita com meu nome,
para que ardam os crisântemos
e eu tenha um feliz natal!
Me ama. Os homens de nucas magras
furam os toucinhos com o dedo,
levantam as mantas de carne
e pedem um quilo de sebo.
Toca minha mão.
Quem fez o amor não vazará meus olhos
porque busco a alegria.
A vida não vale nada,
por isso gastei meus bens,
fiz um grande banquete e este vestido.
Olha-me para que ardam os crisântemos
e morra a puta
que pariu minha tristeza.

PORFIA

Inventou-se o ferro de brasa
por causa da vida Eterna.
Senão, pra que vincar o terno,
se todo fim é madeira carcomida,
ossos tão limpos que dispensam nojo?
Pela mesma razão,
os metafísicos armam seus solilóquios,
os governantes bons governam com justiça,
o meu decote é fundo.
O moço formoso,
meu desejo dele não morre,
está inscrito nas unhas,
cresce com sua raiz.
A mulher pode vinte orgasmos?
De tão tolo esmero não cuido.
Quero amor, o fino amor.
Só suporto sete dores.
mais uma fico distraída, tocando meu violão.
Cemitério é campo-santo, por isso tanto me atrai,
depois de repugnar.
Nem que insistam, olha onde esteve seu pai:
uma lasca de tábua podre,

tiras de pano e poeira.
Transpôs, eu digo,
este silêncio é engano, é pura expectação,
é o que mesmo sem guizos é esperança.
Eu sei do enterro, do lapso, da autópsia,
conheço o afogado, o cepo, a assinatura falsa.
Mas por que achais que os pêndulos oscilam?
Depois do féretro, o relógio bate,
alguém faz café, todos bebem.
Quisera lamuriar-me, erguer meus braços tentada
a pecar contra o Santo Espírito.
Mas a vida não deixa. E o discurso
acaba cheio de alegria.

CINZAS

No dia do meu casamento eu fiquei muito aflita.
Tomamos cerveja quente com empadas de capa
[grossa.
Tive filhos com dores.
Ontem, imprecisamente às nove e meia da noite,
eu tirava da bolsa um quilo de feijão.
Não luto mais daquele modo histérico,
entendi que tudo é pó que sobre tudo pousa
[e recobre
e a seu modo pacifica.
As laranjas freudianamente me remetem a uma
[fatia de sonho.
Meu apetite se aguça, estralo as juntas de boa
[impaciência.
Quem somos nós entre o laxante e o sonífero?
haverá sempre uma nesga de poeira sob as camas,
um copo mal lavado. Mas que importa?
Que importam as cinzas,
se há convertidos em sua matéria ingrata,
até olhos que sobre mim estremeceram de amor?
Este vale é de lágrimas.
Se disser de outra forma, mentirei.
Hoje parece maio, um dia esplêndido,

os que vamos morrer iremos aos mercados.
O que há neste exílio que nos move?
Digam-no os legumes sobraçados
e esta elegia.
O que escrevi, escrevi
porque estava alegre.

DOLORES

Hoje me deu tristeza,
sofri três tipos de medo
acrescidos do fato irreversível:
não sou mais jovem.
Discuti política, feminismo,
a pertinência da reforma penal,
mas ao fim dos assuntos
tirava do bolso meu caquinho de espelho
e enchia os olhos de lágrimas:
não sou mais jovem.
As ciências não me deram socorro,
nem tenho por definitivo consolo
o respeito dos moços.
Fui no Livro Sagrado
buscar perdão pra minha carne soberba
e lá estava escrito:
"Foi pela fé que também Sara, apesar da idade
                                        [avançada,
se tornou capaz de ter uma descendência..."
Se alguém me fixasse, insisti ainda,
num quadro, numa poesia...
e fossem objeto de beleza os meus músculos frouxos...

Mas não quero. Exijo a sorte comum das mulheres
                              [nos tanques,
das que jamais verão seu nome impresso e
                              [no entanto
sustentam os pilares do mundo, porque mesmo
                              [viúvas dignas
não recusam casamento, antes acham o sexo
                              [agradável,
condição para a normal alegria de amarrar uma
                              [tira no cabelo
e varrer a casa de manhã.
Uma tal esperança imploro a Deus.

A FALA DAS COISAS

Desde toda vida
descompreendi inteligentemente
o xadrez, o baralho,
os bordados nas toalhas de mesa.
O que é isto? eu dizia
como quem se ajeita pra melhor fruir.
Fruir o quê? Eu sei. A mensagem secreta,
o inefável sentido de existir.
Tia Clotilde está desesperada:
'para a minha família Deus não olha'.
Meu amor, quando tira o dia pra chorar,
não quer saber de mim, até que fala:
'abri a porta da rua, achei três bilhas azuis,
como um recado da alegria'.
É sonho, eu sei,
mas nesse dia ele não chora mais.
Se a senhora quiser, depois do almoço,
vamos no ribeirão buscar argila,
areia fina pra arear as panelas.
Olha o céu que se estende sobre nós,
seu manto cor de anil,
sua capa de veludo negro
cravejado de estrelas.

A flor-de-maio, a cravina,
viçam na terra estercada
sobre Totônio bebe,
Válter não para no emprego,
Noêmia quer casar mas não tem sorte.
Tua dor de cabeça tem origem psíquica;
tantos comprimidos à mão,
nenhum para o esquecido calor de entre as pernas,
ai, papai, me deixa namorar,
tem duas borboletas voando agarradinhas!
Meu corpo de velha quer salmodiar.
Quer ter um menino e tece,
faz tachos de doce e borda,
tapa com buchas de pano
as frestas da janela e canta
em meio de tanta dor.
Tendo orvalhado tudo,
a madrugada orvalhou a pimenteira,
cuja flor estremeces, ó minha pobre tia.
Deus mastiga com dor a nossa carne dura,
mas nem por chorar estamos abandonados.
A água do regador alçado sobre as couves
alvoroça os insetos.

A larva na hortaliça nos distrai.
Não inventamos nada.
O ponto de cruz é iluminação do Espírito;
o rei, a dama, o valete, são sérios farandoleiros.
Se nos mastiga com dor,
é por amor que nos come.
Vamos rezar as matinas.

CANTO EUCARÍSTICO

Na fila da comunhão percebo à minha frente
[uma velha,
a mulher que há muitos anos crucificou minha vida,
por causa de quem meu marido se ajoelhou em
[soluços diante de mim:
'juro pelo *Magnificat* que ela me tentou até eu cair,
peço perdão, por alma de meu pai morto,
pelo Santíssimo Sacramento, foi só aquela vez,
[aquela vez só'.
Coisas atrozes aconteceram.
Até tia Cininha, que morava longe,
deu de aparecer na volta do dia.
Conversávamos a portas fechadas,
ela com um ar no rosto que eu ainda não vira,
zangando pouco com o menino, deixando ele reinar.
Houve punhos fechados, observações científicas
sobre a rapidez com que a brilhantina desaparecia
[do vidro,
sobre como pode um homem, num só dia,
trocar duas camisas limpas.
Irritação, impertinência,
uma juventude amaldiçoada tomando conta de tudo,

uma alegria – que chamei assim à falta de outro
[nome –
invadindo nossa casa com a sofreguidão das
[coisas do diabo.
Rezei de modo terrível.
O perdão tinha espasmos de cobra malferida
e não queria perdoar,
era proparoxítono, um perdão grifado,
que se avisava perdão.
'Olha, filha, aquela mulher que vai ali
não é digna do nosso cumprimento.'
'Por que, mãe, não é dí-gui-na?'
'Quando você crescer, entenderá.'
Senhor, eu não sou digno
que neste peito entreis,
mas vós, ó Deus benigno,
as faltas suprireis.
Na fila da comunhão cantamos, ambas.
A mulher velha e eu.

PAIXÃO

De vez em quando Deus me tira a poesia.
Olho pedra, vejo pedra mesmo.
O mundo, cheio de departamentos,
não é a bola bonita caminhando solta no espaço.
Eu fico feia, olhando espelhos com provocação,
batendo a escova com força nos cabelos,
sujeita à crença em presságios.
Viro péssima cristã.
Todo dia a essa hora alguém soca um pilão:
em vem o manquitola, eu penso e entristeço de medo.
'Que dia é hoje?', a mãe fala,
'sexta-feira é mistérios dolorosos.'
A lamparina bruxuleia sua luz já humílima,
estreita de vez o pretume da noite.
Comparece, no acalmado da hora,
o zoado da fábrica em destacado contínuo.
E meu cio que não cessa,
continuo indo ao jardim atrair borboletas
e a lembrança dos mortos.
Me apaixono todo dia,
escrevo cartas horríveis, cheias de espasmos,
como se tivesse um piano e olheiras,
como se me chamasse Ana da Cruz.

Fora os olhos dos retratos,
ninguém sabe o que é a morte.
Sem os trevos no jardim,
não sei se escreveria esta escritura,
ninguém sabe o que é um dom.
Permaneço no alpendre olhando a rua,
vigiando o céu entristecer de crepúsculo.
Quando eu crescer vou escrever um livro:
'Pirilampos é vaga-lume?', me perguntavam
[admirados.
Sobre um resto de brasas,
o feijão incha na panela preta.
Um pequeno susto, ia longe a cauda da reza.
Os pintos franguinhos
não cabiam todos debaixo da galinha,
ela repiava em cuidados.
Este conto ameaça parar, represado de pedras.
Só quaresmal ninguém suporta ser.
Uma dor tão roxa desmaia,
uma dor tão triste não há.
A cantina das escolas
e a ginástica musicada transmitida no rádio
sustêm a ordem do mundo, à revelia de mim.
Mesmo os grossos nódulos extraídos do seio,
o cobalto e seu raio sobre a carne em dores,
mesmo esses sobre os quais eu lançara a maldição:

não lhes farei um verso; mesmo esses
acomodam-se entre as achas de lenha,
querem um lugar na crucificação.
Foi cheia de soberba que comecei esta carta,
sobrestimando meu poder de gritar por socorro,
tentada a acreditar que algumas coisas,
de fato, não têm páscoa.
Mas o sono venceu-me e esta história dormiu,
uma letra depois da outra. Até que o sol nasceu
e as moscas acordaram.
A vizinha passou mal dos nervos
e me chamaram do muro, com urgência.
A morte deixa retratos, peças de roupa,
remédios pela metade, insetos desorientados
no mar de flores que recobre o corpo.
Este poema visgou-se. Não se despega de mim.
Enfaro dele, de sua cabeça grande;
pego a sacola de compras,
vou passear no mercado.
mas lá está ele, os cuspos grossos de pinga,
os calcanhares rachados das mulheres,
tostões na palma da mão.
Não é uma vida exemplar esta que tira de um velho
o doce modo de ser um homem com netos.
minha tristeza nunca foi mortal,
renasce a cada manhã.

O óbito não obsta o repinicado da chuva
                              [na sombrinha,
as gotículas,
incontáveis como constelações.
Vou atrás do pio cortejo,
misturo-me às santas mulheres,
enxugo a Sagrada Face.
"vós todos que passais, olhai e vede,
se há dor tão grande como a minha dor."
'Que dia é hoje?', a mãe fala,
'domingo é mistérios gloriosos.'
O que tem corpo é a alegria.
Só ela fica pendida,
de olhos turvos e boca.
Peito e membros magoados.

ESTREITO

Agosto, agosto,
os torrões estão leves,
ao menor toque se desmancham em pó.
Estrela de agosto,
baça.
Céu que se adensa,
vento.
Papéis no redemoinho levantados,
esta sede excessiva
e ciscos.
um homem cava um fosso no quintal,
uma ideia má estremece as paredes.

CÓDIGOS

O perfume das bananas é escolar e pacífico.
Quando a mãe disse: filha, vovô morreu, pode
                                    [falhar de aula,
eu achei morrer muito violoncelírico.
Abriam-se as pastas no começo da aula,
os lápis de ponta fresca recendiam.
O rapaz de espinhas me convocava aos abismos,
nem comia as goiabas,
desnorteada de palpitações.
Filho da puta se falava na minha casa,
desgraçado nunca, porque graça é de Deus.
No teatro ou no enterro,
o sexofone me põe atrás do moço,
porque as valsas convergem, os lençóis estendidos,
abril, anil, lavadeira no rio,
os domingos convergem.
O entre-parênteses estaca pra convergir com
                                    [mais força:
no curso primário estudei entusiasmada o
                                    [esqueleto humano da galinha.
Quero estar cheia de dor mas não quero a tristeza.
Por algum motivo fui parida incólume,
entre escorpiões e chuva.

A FALTA QUE AMA

O meu saber da língua é um saber folclórico.
Muitos me arguirão deste pecado.
Não sei o que responder,
uma nuvem me tolda.
Me levanto com a alva,
encontro ameixas maduras no quintal,
uma ave nova que voa
sem fugir de mim.
Nunca fui em Belo Vale,
mas amo esta cidade
porque meu pai passou nela, em romaria,
e voltou falando 'Belo Vale, porque Belo Vale',
este som de leite e veludo.
Quis dizer nêspera e não disse.
Só por causa da música que não entendo
ninguém me apedrejará.
Não invejo os deuses, porque não existem.
Os gênios, sim, os que dizem:
eis a forma nova, fartai-vos.
Como és belo, amado! Belo e perecível!
Tudo é sonho e escândalo,
congênita ambiguidade.
Se pudesse entender: o Filho de Deus é homem.

Mais ainda: o Filho de Deus é verbo,
eu viraria estrela ou girassol.
O que só adora e não fala.

BITOLAS

O mar existindo com este navio imenso,
coitado de quem não viu
e só soube de mar de rosas e rio de enchente
[parecendo um mar.
O navio apita, dentro dele é grande, dividido
[em cômodos,
tem espaço pra cozinha, piscina, sala de visita,
até capela tem com seu capelão! OHAH!
Tão diverso de anzolinho de piaba e água doce esta
água estendendo-se até dormir de cansaço
e virar país estrangeiro.
Coitados de pai e mãe que morreram sem ver.
Dizem que estrela-do-mar, quando está viva,
[é um bicho,
depois de seca é que vira enfeite de parede.
[Tem navio
que cabe essa rua toda de gente.
Eu dou as costas pro mar,
afogada em despeito choro um rio de lágrimas.
Já li 'mar de sargaços'; seja o que for, é belo.
Qualquer homem é estrangeiro, comparado a
[outro homem
que nunca viu sua terra.

81

Não quero viajar mais. Tenho gravuras do mar e mais
o que me foi dado com pequeno quintal e distraiu
                                    [meus avós
e foi causa de celebração e motins, juramentos
                                    [solenes
acompanhados de viola e rostos graves.
Um doou um rim; outro, um lote,
outro me deu o enxoval pra estudar no ginásio
e sofreu até morrer da doença terrível,
sem um ai de sua boca que agravasse o Senhor.
Pecados graves, medo, inocências incríveis
                                  [cometeram,
espraiaram satisfações por causa da chuva,
                                [das galinhas chocando,
por causa das passagens do livro prometendo alegria:
"A figura deste mundo passa, olho humano jamais
                              [viu o que espera os eleitos..."
Não quero saber do mar. No fundo da mina,
                                [em minas,
também tem frestas de luz.
Queria ser dramática e não sou.
Isto me fez sofrer até agora.
É um córrego, um veio d'água,
um estro pequeno, o meu.
Se o crítico tiver razão,
nunca terei estátua.

Valha-me, pai,
num mar de vaidades não me deixe morrer,
pela vida, entrego os versos todos;
na perna erisipelada
porei compressas quentes.
A noite inteira, se for preciso.

TUDO QUE EU SINTO ESBARRA EM DEUS

FLUÊNCIA

Eu fiz um livro, mas oh, meu Deus,
não perdi a poesia.
Hoje depois da festa,
quando me levantei para fazer café,
uma densa neblina acinzentava os pastos,
as casas, as pessoas com embrulho de pão.
O fio indesmanchável da vida tecia seu curso.
Persistindo, a necessidade dos relógios,
dos descongestionantes nasais.
Meu livro sobre a mesa contraponteava exato
com os pardais, os urinóis pela metade,
o antigo e intenso desejar de um verso.
O relógio bateu sem assustar os farelos sobre a mesa.
Como antes, graças a Deus.

SESTA

O poeta tem um chapéu,
um cinto de couro,
uma camisa de malha.
O poeta é um homem comum.
Mas, quando diz:
a tarde não podia tanger
com "os bandolins e suas doces nádegas",
eu me prostro invocando:
me explica, ó decifrador, o mistério da vida,
me ama, homem incomum.
No oeste de Minas tem um canavial,
onde as folhas se roçam ásperas,
ásperas as folhas da cana-doce roçam-se.
Como agulhas bicando em vidro liso,
o pio das andorinhas dentro da igreja deserta.
Os trinados e as folhas cortam,
entre as canas é doce, doce e fresco,
entre os bancos da igreja.
Repouso lá e cá,
um poder em círculos me dilata,
eu danço na mão de Deus.

Na hora do encantamento,
o reverso do verso dá sua luz:
"os bandolins e suas doces nádegas",
um mistério santíssimo e inteligível.

ÓRFÃ NA JANELA

Estou com saudade de Deus,
uma saudade tão funda que me seca.
Estou como palha e nada me conforta.
O amor hoje está tão pobre, tem gripe,
meu hálito não está para salões.
Fico em casa esperando Deus,
cavacando a unha, fungando meu nariz choroso,
querendo um pôster dele no meu quarto,
gostando igual antigamente
da palavra crepúsculo.
Que o mundo é desterro eu toda vida soube.
Quando o sol vai-se embora é pra casa de Deus
[que vai,
pra casa onde está meu pai.

ENTREVISTA

Um homem do mundo me perguntou:
o que você pensa de sexo?
Uma das maravilhas da criação, eu respondi.
Ele ficou atrapalhado, porque confunde as coisas
e esperava que eu dissesse maldição,
só porque antes lhe confiara: o destino do homem
[é a santidade.
A mulher que me perguntou cheia de ódio:
você raspa lá? perguntou sorrindo,
achando que assim melhor me assassinava.
Magníficos são o cálice e a vara que ele contém,
peludo ou não.
Santo, santo, santo é o amor, porque vem de Deus,
não porque uso luva ou navalha.
Que pode contra ele o excremento?
Mesmo a rosa, que pode a seu favor?
Se "cobre a multidão dos pecados e é benigno,
como a morte duro, como o inferno tenaz",
descansa em teu amor, que bem estás.

CHORO A CAPELA

O poder que eu quisera é dominar meu medo.
Por este grande dom troco meu verso, meu dedo,
meus anéis e colar.
Só meu colo não ponho no machado,
porque a vida não é minha.
Com um braço só, uma só perna,
ou sem os dois de cada um, vivo e canto.
Mas com todos e medo, choro tanto
que temo dar escândalo a meus irmãos.
Mas venho e vou,
os 'lobos tristes' a seu modo louvam.
Nasci vacum, berro meu
era só por montar, parir, a boa fome,
os júbilos ferozes.
As vacas velhas têm os olhos tristes?
Tristeza é o nome do castigo de Deus
e virar santo é reter a alegria.
Isto eu quero.

IMPROPÉRIOS

Senhor, escutai meu estrondoso medo.
Tal é que nem minha boca se abre,
tanto me espantam os sanitários e seus vasos,
estes que só a flores
e a vosso Precioso Sangue deveriam remeter-se.
No entanto, até línguas eu queria saber
pra expressar meu horror
nos mil modos que o horror tem.

Quando eu tinha quinze anos minha mãe morreu.
Foi o sofrimento mais lindo,
a verde vida um pasto tão bonito, eu belamente urrei,
bezerra sem sua mãe, apenas.
hoje, a simples tosse sufoca, mais que a meu peito,
minha alma imortal, e mais feia eu fico que uma
[feia mulher.

Eu não tinha canais, ainda que porosa. Hoje tenho,
de bile, de televisão, por onde os micróbios
e minha própria imagem me excomungam.
Ó Deus anacrônico, vem em meu socorro, como vinhas,
da mais eterna forma: o menino quer ser feliz com
[seu arco.

Que bom é suar na tarde e gritar: mãe, cê tá aí, mãe?
A morte veio e vem, mas se devem alçar os caixões
e com passo de marcha carregá-los, chorando sim,
mas como quem leva espigas para o campo.

Me estende Senhor Tua mão de ferreiro
que segura trens e navios, puxa pelo nariz os aviões.
Que boa é a vida se não me abandonas.
Um violino muito ao longe chora,
silente e vagarosa chega a noite.
A hora, o açoite, que valem?
Se vos tenho a meu lado, ó meu Pastor.

A POESIA, A SALVAÇÃO E A VIDA

Seo Raul tem uma calça azul-pavão
e atravessa a rua de manhã
pra dar risada com o vizinho.
Negro bom.
O azul da calça de seo Raul
parece foi pintado por pintor;
mais é uma cor que uma calça.
Eu fico pensando:
o que é que a calça azul de seo Raul
tem que ver com o momento
em que Pilatos decide a inscrição
JESUS NAZARENUS REX JUDEORUM.
Eu não sei o que é,
mas sei que existe um grão de salvação
escondido nas coisas deste mundo.
Senão, como explicar:
o rosto de Jesus tem manchas roxas,
reluz o broche de bronze
que prende as capas nos ombros dos soldados
                                    [romanos.
O raio fende o céu: amarelo-azul profundo.
Os rostos ficam pálidos, a cor da terra,
a cor do sangue pisado.

95

De que cor eram os olhos do centurião convertido?
A calça azul de seo Raul
pra mim
faz parte da Bíblia.

A POESIA, A SALVAÇÃO E A VIDA
II

Eu vivo sob um poder
que às vezes está no sonho,
no som de certas palavras agrupadas,
em coisas que dentro de mim
refulgem como ouro:
a baciinha de lata onde meu pai
fazia espuma com o pincel de barba.
De tudo uma veste teço e me cubro.
mas, se esqueço a paciência,
me escapam o céu
e a margarida-do-campo.

FRATERNIDADE

Um dia
um padre que fazia milagres
deu sua bênção pro povo:
mulheres de cabacinha de ouro na orelha,
homens de camisa cor-de-rosa,
menino de todo jeito e de terninho.
Galho de funcho, arruda, manjericão,
cheiravam junto com o povo apertado no pátio.
Tudo ótico, olfático, escatológico.
A paciência de Deus sentou de pernas cruzadas
na platibanda da igreja. Com uma mão pitava,
com a outra segurava o joelho,
piscando um código pra Murilo Mendes
que rolava de rir.

APELAÇÃO

É bom que uma vez se tenha usado bainha em calças.
No Juízo Final nos servirá de defesa.
Em algumas coisas fomos tão inocentes...
houve, é certo, sob nossos telhados
ruidoso desamor,
fel em gotas de silêncio segregado.
Mas fazemos laços tão honestos com os cordões
[dos sapatos
e é tão coitado o nó de uma gravata
que ao pescoço logo se perdoa.
Mais Deus nos perdoará,
Ele que sabe o que fez: 'homem humano'.
A boca que comeu e mentiu come Seu Corpo Santo.
Eu não sei o que digo,
mesmo se o que falo é:
Não sou digno, Senhor.

ORAÇÃO

Horizontina é gorda,
mas é com desvelo que seus pais a amam,
eles que só compram livros didáticos:
'Já tomou seu leite, filhinha?'
De que vale pagar o dízimo da menta e da arruda
se meu coração não se desdobra?
Já vi um homem sofrido ficar feliz de repente
e puxar uma fumaça no pito
como se visse no céu as trombetas da parusia,
ele que não sabe dos místicos:
"nem todo o que diz Senhor, Senhor,
entrará no Reino".
Eu vos peço perdão
por ter amado mal.

A CARNE SIMPLES

Na cama larga e fresca
um apetite de desespero no meu corpo.
Uivo entre duas mós.
Uivo o quê?
A mão de Deus que me mói e me larga na treva.
Na boca de barro, barro.
Quando era jovem
pedia cruz e ladrões pra guarnecer meus flancos.
Deus era fora de mim.
Hoje peço ao homem deitado do meu lado:
me deixa encostar em você
pra ver se eu durmo.

O ANTIGO E O NOVO TESTAMENTO

As filhas do sô João Lobo
morreram de raio, as duas.
Chilapt! ele fez caindo do céu,
clareando e assustando eu com minha mãe
mais meu avô no terreiro.
Aconteceu alguma coisa, ele falou.
Só então a raiva de Deus estrondou:
Senhor meu Jesus Cristo Deus e homem
verdadeiro, meu intestino desata-se,
pesa-me de vos ter ofendido, o meu
coração desfalece, pesa-me também por
ter perdido o céu e merecido o inferno.
Rosa morreu costurando,
Maria com um pano branco em volta do seu

[pescoço,
o pente-fino na mão.
hoje tem para-raio na Vila Belo-Horizonte
e esta oração que eu faço, quando a faísca navega
azulando a cerca de arame:
louvado sejas, meu Senhor, pelo fragor e a luz,
bendito o que vem de Tua mão, morte ou vida.

Mais me colhe Teu amor que a força da
[tempestade.
Os elementos Te louvem em fúria ou calma.
Diga eu sim ao Teu chamado,
venha Tua voz do trovão
ou de entre as flores do prado.

UM HOMEM HABITOU UMA CASA

A graça da morte, seu desastrado encanto
é por causa da vida,
porque o céu fica a oeste da casa de meu pai,
onde moram: toda a riqueza do mundo e minha alma.
Lá tem um canto na parede
pra onde eu vou escondida comer com o prato na mão,
de onde vejo Jerusalém, as cúpulas faiscando,
a Rosa de Jericó desabrochada.
Daquele ângulo,
as doenças graves ficam domesticadas,
inocentes ficam minha prima e seus cinco filhos
[bastardos.
O tiro, o álcool, a imprecação, mesmo o medo
assentam na caneca de chá,
no fundo grosso de misericórdia e açúcar,
incansável paciência.
As ervas de remédio machucadas põem cheiro na
[santidade
no esforço de repetir: sim, meu Deus,
sim, meu corpo fraco,
sim, que saudade da bicicleta,
de sair pra rua sacudindo
meu invencível poder sobre buracos e pedras,

sim, a juventude me comove tanto,
sim, minha fadiga que nem tanta é,
comparada à que na cruz, ó meu Pai, padeceste
[por mim.
O corpo sente dores?
Eu comia assim:
arroz, feijão, cebola crua,
mas o prato tinha a beirada bordada.
A colher oxidava,
mas, no cabo, miosótis gravados.
O corpo sente alegrias, a língua as come
claras, quentes, indubitáveis como sóis.
Morre-se?
As matemáticas eu entendo mais.

GREGORIANO

O que há de mais sensual?
Os monges no cantochão.
Espalmo como só pode fazê-lo
uma flor toda aberta,
desperta a espumilha-rosa
contra o melancólico e o cinza.
"um dia veremos a Deus com nossa carne."
Nem é o espírito quem sabe,
é o corpo mesmo,
o ouvido,
o canal lacrimal,
o peito aprendendo:
respirar é difícil.

TRÊS MULHERES E UMA QUARTA

Arnalda, Alice e Armantilda
são três mulheres piedosas
que amam passar as tardes no serviço do templo.
Arnalda, forte e bruta,
lava teto, piso e paredes,
lustra sacrário e átrio.
Alice é para as flores:
a espécie conforme o jarro
e o calendário litúrgico.
Armantilda é para adorar.
O Senhor ama igualmente as três,
mas simpatiza mais com Araceli.
À uma e meia da tarde elas vêm
com balde, rosário e rosas,
Araceli com seu nariz.
Ai que cheiro, ela diz:
poeira, flor murcha e incenso,
o sovaco de Deus.
Ai que cheiro, ela diz,
louvado seja!
Quando ela chega, desacomoda o pó
de entremeio-os-dedos das imagens,
os toquinhos de vela crepitam e morrem,

arroxeiam de vez as rosas de remédio na jarrinha.
Araceli cheira e cata,
feliz como um cachorro, e sai
com o lixo sagrado dela.

GRAÇA

O mundo é um jardim. Uma luz banha o mundo.
A limpeza do ar, os verdes depois das chuvas,
os campos vestindo a relva como o carneiro a sua lã,
a dor sem fel: uma borboleta viva espetada.
Acodem as gratas lembranças:
moças descalças, vestidos esvoaçantes,
tudo seivoso como a juventude,
insidioso prazer sem objeto.
Insisto no vício antigo — para me proteger do
[inesperado gozo.
E a mulher feia? E o homem crasso?
Em vão. Estão todos nimbados como eu.
A lata vazia, o estrume, o leproso no seu cavalo
estão resplandecentes. Nas nuvens tem um rei,
[um reino,
um bobo com seus berloques, um príncipe.
[Eu passeio nelas,
é sólido. O que não vejo, existindo mais que a carne.
Esta tarde inesquecível Deus me deu. Limpou meus
[olhos e vi:
como o céu, o mundo verdadeiro é pastoril.

INSTÂNCIA

Eu cometi pecados,
por palavras, por atos, omissões.
Deles confesso a Deus,
à Virgem Maria, aos santos,
a São Miguel Arcanjo
e a vós irmãos.
A tão criticável tristeza
e seu divisível ser
pelejam por abotoar em mim
seu colar de desespero.
Mas eu peço perdão:
a Deus e a vós, irmãos.
O meu peito está nu como quando nasci;
em panos de alegria me enrolou minha mãe,
beijou minha carne estragável,
em minha boca mentirosa espremeu seu leite,
por isso sobrevivi.
Agora vós, irmãos, perdoai-me,
por minha mãe que se foi.
Por Deus que não vejo, perdoai-me.

O PODER DA ORAÇÃO

Em certas manhãs desrezo:
a vida humana é muito miserável.
Um pequeno desencaixe nos ossinhos
faz minha espinha doer.
Sinto necessidade de bradar a Deus.
Ele está escondido, mas responde curto:
'brim coringa não encolhe'.
E eu entendo comprido
e comovente esforço da humanidade
que faz roupa nova para ir na festa,
o prato esmaltado onde ela ama comer,
um prato fundo verde imenso mar cheio de estórias.
A vida humana é muito miserável.
'Brim coringa não encolhe'?
Meu coração também não.
Quando em certas manhãs desrezo
é por esquecimento,
só por desatenção.

FOTOGRAFIA

Quando minha mãe posou
para este que foi seu único retrato,
mal consentiu em ter as têmporas curvas.
Contudo, há um desejo de beleza no seu rosto
que uma doutrina dura fez contido.
A boca é conspícua,
mas as orelhas se mostram.
O vestido é preto e fechado.
O temor de Deus circunda seu semblante,
como cadeia. Luminosa. Mas cadeia.
Seria um retrato triste
se não visse em seus olhos um jardim.
Não daqui. Mas jardim.

UM BOM MOTIVO

O Presidente morre.
Choro querendo o meu choro o mais definitivo
[de todos
e esta mesma vaidade choro.
Poetas antes de mim choraram e melhor e
[mais belo
e mais profundamente, não apenas a morte do rei,
mas a minha, a tua, a própria morte deles,
a condição miserável de ser homem. No entanto,
as razões de chorar não se acabaram.
O meu poder é pouco, governo sobre algumas
[lembranças:
um prato, uma toalha de mesa, um domingo,
cascas de laranja fresca recendendo.
O Bem e o Mal me escapam, mesmo e porque me
[habitam.
Me escapam o dia, a hora, as horas,
escrevo o poema e iludo-me de que escapei à
[tristeza.
Só a tornei ritmada, talvez mais leve.
Por torná-la bela, suportável, me empenho
e por tal razão sem razão mais choro.
O Presidente morre: é tristíssimo.

'Carneiro primaveril com favas':
quem a esta hora se anima aos livros de culinária?
O sexo automovente pende, para baixo pesa,
[murchado.
Lua é planeta, violão é madeira e cordas.
Aproveito que o Presidente morre
e choro as cáries nos dentes, as pernas varicosas,
a saia feia atravessando a rua, o cotovelo humilhado,
a cabeça cheia de *bobbies*, coroada.
Choro porque vou me refazer e dar risadas
e perguntar incorrigivelmente pelas fases da lua
e semear flores e plantar hortaliças.
Choro porque reincido no prazer como os meninos
e isto, depois de velha, mortifica-me.
Choro por me ter humilhada em razão da alegria,
o coração orgulhoso, sem simplicidade.
O Presidente morre: é um bom motivo.
Aproveito e choro o povo brasileiro,
o Cruzeiro do Sul, que, só agora percebo,
poderia não nos pertencer.
A Terra de vera Cruz, a Terra de Santa Cruz,
a carta de Caminha, admiravelmente precedendo-nos:
"É um país que vai pra frente, Senhor meu Rei."
A Terra das Palmeiras a cuja sombra soluço,
[incongruente.

Por nascimento e gosto, por destino, agora por
[dura escolha
desejo o sabiá, o Presidente vivo, o peixe vivo,
meu pai vivo gritando viva arroucado de tão alto:
VIVA! VIVA! VIVA!
É difícil morrer com vida,
é difícil entender a vida,
não amar a vida, impossível.
Infinita vida que para continuar desaparece
e toma outra forma e rebrota,
árvore podada se abrindo,
a raiz mergulhada em Deus. Ó Deus,
o globo do meu olho dói, apertado de choro,
a minha alma está triste, desejo largar o emprego,
que os de minha casa, hoje, comam frio.
Não me banho, não me penteio, não recebo
[ninguém,
uma pequena vingança contra a dor de viver.
O que é entristecível continuará,
o que é risível, deleitoso, também.
Continuará a vida, repetitiva.
Novíssima continuará a vida.
Só vida. Nua. Vida.
Quem foi vivo uma vez disse a palavra Cruz,
disse a palavra Pai, inclinando a cabeça,

uma vez disse, do fundo do seu cansaço:
'Ó meu Deus' e desejou dar seu reino
pela simples morada da alegria.
Ó Senhor, consola-nos, tem piedade de nós.
"A vitória provém de Tua mão,
de Teu Braço divino."

ATALHO

Nós não somos capazes da verdade,
os antinaturais por natureza.
Sofremos e procuramos.
Daí os eremitérios, as siglas,
diversos estatutos e estandartes.
Acontece, de pura misericórdia, um descanso:
uma borboleta amarela pousa na nossa mão
e, pra nosso susto, permanece sem medo;
olhamos o céu e dizemos do nosso terreiro:
é pra lá que se vai, depois de tudo.
De puro orgulho eu queria ser pobre,
de visceral preguiça, pedra.
Contudo explico, desentendo, procuro
                                   [incansavelmente
a ponta da meada de seda,
o fundo da agulha de prata
que borda a blusa de Deus
que está no trono sentado
com olhar compassivo e ardente coração.
Eu quero amor sem fim. Deus dá?
Eu quero comida quente. Deus dá?
Aprecio as dificuldades e respectivos auxílios,
me esperando lá fora a luz do dia,

quando eu sair da floresta aonde eu fui passear
com medo da boicininga e da cobra píton
e não fiz nada demais: só fiquei com o moço na
[grama,
nossos rostos muitos próximos,
transida.
Se tirasse as cobras do conto ia ficar perfeito.
Não tiro e sei bem por quê.
De Deus assim não tenho medo e gosto
mas se Ele disser:
'vem pro Carmelo estudar Tomás de Aquino, Luzia
[rebelde',
eu fico trêmula e pretensiosa
de fazer cada uma mais maravilhante
de me tirar o tempo para ser feliz.
Do meu jeito, não.
Pego o trilho no pasto e vou saudando:
'Bom dia, compadre; bom dia, comadre,
seus patinho tão bons?'
Meus peitos duros de leite,
as ancas duras, rapaz.
Benzinho-de-espinho me pega, carrapicho,
a tarde doura.
Caçar ninho de galinha é bom,
é bom chá de amor-deixado.
Eta-vida-margarida que eu resolvo por álgebra.

Me dá um meu sono e eu vou dormir virada
[pra parede.
Onde tem um descascado eu ponho os olhos,
tem um mosquitinho tonto,
um cheiro de telha
e Deus resplandecendo em Sua glória.

SUMÁRIO

QUALQUER COISA É A CASA DA POESIA

9 Linhagem
11 O guarda-chuva preto
12 Flores
14 A casa
15 Primeira infância
16 Dois vocativos
17 Subjeto
18 Solar
19 Esperando Sarinha
20 Vitral
21 Roça
22 Tempo
23 Grafito
24 Nem um verso em dezembro
26 Discurso
28 Ruim
30 Um silêncio
31 Bulha
32 Tulha
33 Eh!
35 Hora do ângelus
36 Regional
38 Folhinha
39 A profetisa Ana no templo
40 Campo-santo

O CORAÇÃO DISPARADO E A LÍNGUA SECA

45 Moça na sua cama
47 Dia
48 Bairro
50 Canícula
51 Gênero
52 Corridinho
53 A maçã no escuro

ESTA SEDE EXCESSIVA

57 Desenredo
59 Ausência da poesia
61 Contra o muro
62 Porfia
64 Cinzas
66 Dolores
68 A fala das coisas
71 Canto eucarístico
73 Paixão
77 Estreito
78 Códigos
79 A falta que ama
81 Bitolas

TUDO QUE EU SINTO ESBARRA EM DEUS

87 Fluência
88 Sesta
90 Órfã na janela
91 Entrevista
92 Choro a capela
93 Impropérios
95 A poesia, a salvação e a vida
97 A poesia, a salvação e a vida II
98 Fraternidade
99 Apelação
100 Oração
101 A carne simples
102 O Antigo e o Novo Testamento
104 Um homem habitou uma casa
106 Gregoriano
107 Três mulheres e uma quarta
109 Graça
110 Instância
111 O poder da oração
112 Fotografia
113 Um bom motivo
117 Atalho